SŴN

CW00401068

Gareth Owen

Argraffiad cyntaf: 2022

ⓗ testun: Gareth Owen / awduron gwreiddiol
ⓗ darluniau: Gareth Owen

Rhif Llyfr Safonol Rhyngwladol:
978-1-84527-891-5

CYNGOR LLYFRAU CYMRU

Cyhoeddwyd gyda chymorth Cyngor Llyfrau Cymru

Dylunio'r clawr: Eleri Owen

Cyhoeddwyd gan Wasg Carreg Gwalch
12 Iard yr Orsaf, Llanrwst, Dyffryn Conwy, Cymru LL26 0EH.
Ffôn: 01492 642031
e-bost: llyfrau@carreg-gwalch.cymru
lle ar y we: www.carreg-gwalch.cymru

Argraffwyd a chyhoeddwyd yng Nghymru

SŴN Y GWYNT SY'N CHWYTHU

James Kitchener Davies

gan

Gareth Owen

DIOLCHIADAU

Hoffwn yn y lle cyntaf ddiolch i Manon Rhys, Megan Tudur a'r diweddar Mari Llwyd, merched Kitchener Davies am fynegi eu cefnogaeth wrth i mi fynd ati i ymateb yn weledol i gerdd eu tad, 'Sŵn y Gwynt sy'n Chwythu' ac am eu caniatâd i gyhoeddi'r gerdd. Diolch i Rheinallt Llwyd (mab-yng-nghyfraith Kitch) am ei gyfeillgarwch, ei gymorth a'i gwmni ynghyd ag Ann Gwynne ar daith gerdded braf i'r Llain. Diolch arbennig i fab-yng-nghyfraith arall, Jim Parc Nest, am rannu â ni ei berthynas bersonol â'r gerdd. Rwy'n ddiolchgar hefyd i Ganolfan Treftadaeth y Bala am eu gwahoddiad cychwynnol i greu arddangosfa yn seiliedig ar y gerdd 'Sŵn y Gwynt sy'n Chwythu', ac i Jeremy Turner, Cwmni Arad Goch am roddi cartref i'r arddangosfa sy'n cydredeg â lansiad y llyfr. Yn olaf, diolch i Myrddin ap Dafydd, Gwasg Carreg Gwalch am wireddu fy nymuniad i gyhoeddi cyfres o ymatebion gweledol i'r gerdd hynod 'Sŵn y Gwynt sy'n Chwythu'.

I Elin a Prys

CYNNWYS

'SŴN Y GWYNT SY'N CHWYTHU'

James Kitchener Davies

Y gerdd gyflawn

(Nodir adrannau o'r gerdd a ddeilliodd ar ddelweddau.)

Heddiw
Daeth awel fain fel nodwydd syring,
Oer, fel ether-meth ar groen,
i chwibanu am y berth â mi.
Am eiliad, fe deimlais grepach yn f'ego,
wrth ddringo sticlau'r Dildre a'r Derlwyn i'r ysgol;
dim ond am eiliad, ac yna ailgerddodd y gwaed,
gan wneud dolur llosg fel ar ôl crepach ar fysedd,
neu ether-meth ar groen wedi'r ias gynta.
    Ddaeth hi ddim drwy'r berth
er imi gael adnabod ei sŵn sy'n chwythu,
a theimlo ar f'wyneb
lygredd anadl mynwentydd.

(Ffig. 49 – gw. tudalen 68)
**Ond mae'r berth yn dew yn y bôn, ac yn uchel,
a'i chysgod yn saff na ddaw drwyddi ddim,
– dim byd namyn sŵn y gwynt sy'n chwythu.**

* * *

Hy!
Ti wedi bostio erioed
nad oes arnat ti ddim ofn marw,
ond dy fod ti yn ofni gorfod diodde' poen.
Chest ti ddim erioed gyfle
i ofni na marw na diodde' poen,
– ddim erioed, gan gysgod y berth sy amdanat.
  Do, do rwyt ti, fel pawb yn d'oedran di,
wedi gweld pobl mewn poen,
a gweld pobl yn marw – pobl eraill –
heb i'r gwynt sy'n chwythu dy gyrraedd di'n is nag wyneb y croen,
heb i ddim byd o gwbl ddigwydd y tu mewn i'r peth wyt ti.
  I ti, peth iddyn' nhw, y lleill,
yw diodde' poen a marwolaeth,
yw pob bwlch argyhoeddiad, yn wir,
yn gywir fel actio mewn drama.
  Wyt ti'n cofio dod nôl yn nhrap Tre-wern
o angladd mam? Ti'n cael bod ar y sêt flaen gydag Ifan
a phawb yn tosturio wrthyt, yn arwr bach, balch.
Nid pawb sydd yn cael cyfle i golli'i fam yn chwech oed,
a chael dysgu actio mor gynnar.

(Ffig. 36 – gw. tudalen 56)
Neu a wyt ti'n dy gofio di'n bymtheg oed
yng nghwrdd gweddi gwylnos Rhys Defi?
Roedd llifogydd dy ddagrau di'n boddi hiraeth pawb arall,

('ar dorri 'i galon fach,' medden' nhw, 'druan bach')
a llais dy wylofain di fel cloch dynnu sylw;
dim ond am fod hunandod hiraeth pobl eraill
yn bygwth dy orchuddio di, a'th gadw di y tu allan i'r digwydd.
Roet ti'n actor wrth dy grefft, does dim dwywaith,
ac yn gwybod pob tric yn trâd erbyn hynny.
     O ydy, mae hi'n ddigon gwir, wrth gwrs,
na wnest ti fyth wedyn golli dagrau wrth un gwely cystudd
nac wylo un defnyn ar lan bedd neb
o gywilydd at dy actio 'ham',
a gormodiaith dy felodrama di dy hun, y tro hwnnw.
Onid amgenach crefft gweflau crynedig
a gewynnau tynion yr ên a'r foch,
llygaid Stoig, a gwar wedi crymu,
mor gyrhaeddgar eu heffaith ar dy dorf-theatr di?
'O roedd e'n teimlo, druan ag e, roedd e'n teimlo,
roedd digon hawdd gweld, ond mor ddewr, mor ddewr.'
Arwr trasiedi ac nid melodrama mwy – uchafbwynt y grefft,
a thithau heb deimlo dim byd
ond mwynhau dy actio crand, a chanmoliaeth ddisgybledig
y dorf o glai meddal dan dy ddwylo crochenaidd.
Na, ddaeth dim awelig i gwafrio dail dy ganghennau di,
chwaethach corwynt i gracio dy foncyff
neu i'th godi o'th bridd wrth dy wraidd.
Ddigwyddodd ddim byd iti erioed

(Ffig. 49 – gw. tudalen 68)
mwy nag iti glywed sŵn y gwynt sy'n chwythu
y tu hwnt i ddiogelwch y berth sydd amdanat.

*   *   *

Roedd tir Y Llain ar gors uchel
sydd ar y ffin rhwng Caron-is-clawdd a Phadarn Odwyn
yn goleddu o'r Cae Top i lawr at Y Waun,

(Ffig. 42 – gw. tudalen 60)
a thu hwnt i'r Cae Top roedd llannerch o goed duon –
pinwydd a *larch* tal – i dorri'r gwynt oer,
gwynt y gogledd.
Ac yna y mân gaeau petryal
fel bwrdd chware draffts, neu gwilt-rhacs,
ac am bob un o'r caeau, berth.

'Y nhad a fu'n plannu'r perthi pella o'r tŷ –
perthi'r Cae Top a'r Cae Brwyn, –
a minnau'n grwt bach wrth ei sodlau
yn estyn iddo'r planhigion at ei law:

(Ffig. 43 – gw. tudalen 61)
tair draenen wen a ffawydden,
tair draenen wen a ffawydden yn eu tro;
a'i draed e'n mesur rhyngddyn nhw ar hyd pen y clawdd
a'u gwasgu nhw'n solet yn y chwâl bridd-a-chalch.
Yna'r weiro patrymus y tu maes iddyn' nhw –

y pyst-tynnu sgwâr o bren deri di-risgl
wedi'u sincio'n ddwfn i'r tir byw –
a minnau'n cael troi'r injan-weiro ar y post
tra fydde fe'n staplo,
a'r morthwyl yn canu'n fy nghlust dan y ffusto.
A minnau'n mentro ar y slei-bach
ddanfon telegram yn ôl tros y gwifrau tyn
i'r plant eraill y pen draw i'r clawdd,
a nodyn y miwsig yn codi ei bitsh
wrth bob tro a rown i handlen yr hen injan-weiro.
    'Nhatcu, meddai 'nhad, a blanasai'r Caeau Canol,
      Cae Cwteri, Cae Polion, Cae Troi –
ond roedd cenedlaethau na wyddwn i ddim byd amdanyn' nhw,
ond ôl gwaith eu dwylo ar y Cae Lloi a'r Cae Moch,
wedi plannu'r coed talgryf boncyffiog rownd y tŷ,
a gosod eirin-pêr yma a thraw yn y perthi.
    Roedd llun mewn llyfr hanes yn yr ysgol
o'r Sgwâr Prydeinig yn yr Aifft,
(neu Affganistan neu'r India efallai,
man a arferai fod yn goch ar y map, 'ta beth,)
a rhes o gotiau coch ar eu boliau ar y llawr,
ail res y tu ôl iddi hi ar eu gliniau
a'r drydedd rhes ar ei throed,
a'r cwbwl yn saethu anwariaid melyngroen ar feirch yn carlamu
a gwneud iddyn nhw dynnu'n ddi-ffael i'r chwith ac i'r dde yn eu rhuthr,
heb allu torri drwy rengoedd di-syfl y sgwâr mewn un man.
A dyna fu'r perthi i mi fyth ar ôl hynny,
rhengoedd o ddewrion yn cadw'r gwynt a'r corwyntoedd
rhag cipio cnewyllyn fy mod – caer fewnol fy Llain.
Ond nid anwariaid (er mor wyllt) ar feirch diadenydd
mo'r gwyntoedd, ond llengoedd o ysbrydion
yn codi, heb allu haltio yn eu rhyferthwy ysgubol,
yn grwn tros Y Llain heb ysigo teilsen o'r to,
ac yna dri chae o dan y tŷ
yn disgyn trachefn i'r gors
i erlid y mwsog crin a gwlân y plu-gweunydd,

a'u plethu a'u clymu yn sownd yn y pibrwyn.
   A dyna lle byddem ni'r plant
yn ddiogel mewn plet yn y clawdd tan y perthi
a'r crinddail yn gwrlid i'n cadw ni'n gynnes,
(fel plant bach yn y chwedl wedi i'r adar eu cuddio â dail).

(Ffig. 42 – gw. tudalen 60)
**Doedd yr awel oedd yn tricial trwy fonion y perthi
ddim yn ddigon i mhoelyd plu'r robin a'r dryw.**

Ond uwch ben y perthi a'r coed, uwch ben y tŷ,
fry yn yr entrych, roedd y gwynt
yn twmlo'r cymylau, a'u goglais nes bo'u chwerthin gwyn
yn hysteria afreolus fel plant ar lawr cegin,
oni bydd gormod o'r chwarae'n troi'n chwithig yn sydyn
a'r dagrau'n tasgu, a'r cymylau'n dianc
ar ras rhag y gwynt, rhag y goglais a'r twmlo,
yn dianc bendramwnwgl rhac pryfôc y gwynt –
y gwynt erlidus o'r tu allan i mi,
a minnau yn saff yn y plet yn y clawdd tan y dail
yn gwrando ei sŵn, y tu allan,
heb ddim byd yn digwydd y tu mewn i'r hyn wyf i
gan ofal a chrefft cenedlaethau fy nhadau
yn plannu eu perthi'n ddarbodus i'm cysgodi yn fy nydd.
Dim – er imi fynnu a mynnu.

                *   *   *

Ond chware teg nawr,
bydd di'n deg â thi dy hunan, a chyfadde
iti dreio dy orau i'th osod dy hun
yn nannedd y gwynt, fel y câi ef dy godi
a'th ysgwyd yn rhydd o ddiogelwch dy rigol.
Fe ddringaist y ffawydden braffaf i'r brigyn
ar dywydd teg o haf
i redeg ras â'r gwiwerod trwy'r brigau ir, deiliog'
gan fentro neidio ar eu holau o golfen i golfen;
a dringaist, y gaeaf, y boncyff noethlymun

(Ffig. 45 – gw. tudalen 63)
**i'r man roedd hi'n arswyd i'r llygad dy ddilyn
wrth ysgwyd ar y meinder fel brân ar y brigyn,**

dy liniau a'th freichiau'n marchogaeth y pren,
a'th lygaid ynghau gan yr ymchwydd syfrdan
fel babi yn cysgu'n ei grud gan y siglo.
Bydd di'n onest, nawr;
nid pawb sy'n mentro marchogaeth y gwynt,
y gwynt sy'n chwythu lle y mynno.

* * *

    Mi est ti i lawr i Donypandy i'r Streic a'r Streic Fawr,
i'r carnifal jazz, a *football* y streicwyr a'r plismyn,
at y ceginau cawl a'r coblera,
y ffeiriau sborion i Lazarus gornwydlyd,

gan helpu i ysgubo'r briwsion sbâr o'r bordydd i'r cŵn tan y byrddau
gan arllwys cardodau fel rwbel ar y tipiau
neu hau *basic-slag* ar erddi *allotment* o ludw
i dwyllo'r pridd hesb i ffrwythlonder synthetig.
    Yno roedd y perthi wedi syrthio a'r bylchau yn gegrwth
a'r strydoedd culion fel twndis i arllwys
y corwynt, yn chwythwm ar chwythwm,
i chwipio corneli a chodi pennau'r tai
a chwyrlïo dynionach fel bagiau-*chips* gweigion
o bared i bost, o gwter i gwter;
y glaw-tyrfau a'r cenllysg yn tagu pob gratin
gan rwygo'r palmentydd a llifo drwy'r tai,
a lloncian fel rhoch angau'n y seleri diffenest;
a newyn fel brws-câns yn ysgubo trwy'r aelwydydd
o'r ffrynt i'r bac a thros risiau'r ardd serth,
i lawr i'r lôn-gefn at lifogydd yr afon,
y broc ar y dŵr du sy'n arllwys o'r cwm,
i'w gleisio a'i chwydu at geulannau'r gwastadedd
yn sbwriel ar ddifancoll i bydru.
    A dyna lle'r oeddit ti fel Caniwt ar y traeth,

(Ffig. 4 – gw. tudalen32)
neu fel Atlas mewn pwll glo
â'th ysgwydd tan y creigiau'n gwrthsefyll cwymp,

neu â'th freichiau ar led rhwng y dibyn a'r môr
yn gweiddi 'Hai! Hai!'
ar lwybr moch lloerig Gadara.
    O do, fe heriaist ti ddannedd y corwynt
a dringo i flaen y pren a blygai i'w hanner

15

gan ysgytiadau'r tymhestloedd, ond bu'n raid iti
suddo d'ewinedd i'r rhisgl a chau dy lygaid
rhag meddwi dan ymchwydd dy hwylbren.
    Cofia di,
doedd dim raid iti, mwy na'r rhelyw o'th gymheiriaid,
ysgrechian dy berfedd i maes ar focs sebon
ar gorneli'r strydoedd a sgwarau'r dre:
peth i'w ddisgwyl mewn mwfler-a-chap oedd peth felly.
nid peth neis mewn coler-a-thei.
Doedd dim taro arnat ti orymdeithio yn rhengoedd y di-waith,
dy ddraig-rampant yn hobnobio â'r morthwyl a'r cryman,
i fyny i Sgwâr y Petrys, i lawr Ynyscynon a thros y Brithweunydd,
heibio i'r Llethr-ddu at y Porth a'r Dinas
ac yn ôl tros Dylacelyn a thrwy Goed y Meibion
i gae'r Sgwâr, a'r gwagenni, a'r cyrn-siarad, a'r miloedd ceg-agored.

*   *   *

Na!
doedd dim raid iti
fentro'r *Empire* a'r *Hippodrome* tan eu sang ar nos Sul,
– di geiliog bach dandi ar domen ceiliogod ysbardunog
y Ffedarasiwn a'r *Exchange* –
ond mi fentraist,
a mentro ar lecsiynau i'r Cyngor tref a'r Sir
a'r Senedd maes o law
yn erbyn Goliath ar ddydd na ŵyr wyrth,
y cawr sydd â phigion y swyddi yn enllyn ar dy fara,
ond iti estyn dy dafell a begian yn daeog ddeheuig.
Wel na, a does arna i ddim cywilydd cael arddel
bod yr ardd wrth y tŷ wedi'i phalu drwy'r blynyddoedd
a'i chwynnu yn ddygn nes bod y cefn ar gracio;
ond y pridd sydd yn drech na mi, a'r confolfiwlws
fel y cancr yn ymgordeddu trwy'r ymysgaroedd
gan wasgu'r hoedl i'r gweryd, ewinfedd wrth ewinfedd ddiymod.

(Ffig. 10 – gw. tudalen 39)
Po ddyfnaf y ceibiwn, cyflymaf y dirwynai'r
confolfiwlws nadreddog drwy'r chwâl,
gan ddringo pob postyn a llwyn tan fy nwylo
a thagu'r rhosynnau a'r ffa yn eu blodau
a dyrchafu eu clychau gwyn glân fel llumanau,
neu fel merched y gwefusau petalog
sy'n dinoethi eu dannedd i wenu'n wyn
heb fod chwerthin yn agos i'w llygaid, ond bustl yn y pyllau.

Fe fynnwn i gadw Cwm Rhondda i'r genedl
a'r genedl hithau yn ardd gan ffrwythlondeb.
'Pa sawl gwaith y mynaswn i gasglu dy gywion ond nis mynnit.'
Ond roedd hi'n arial i'r galon gael clywed fforddolion tros glawdd yr ardd
yn fy nghyfarch – 'Paid â'th ladd dy hunan, y gwirion;
rwyt ti'n gweithio'n rhy galed o fore hyd hwyr,
o wanwyn i hydre, a thâl pridd dy ardd iti ddim.'
Yna wrth droi i'w rhodianna fe'u clywn:
'Mae ef fan yna'n yn ei ddau-ddwbwl, mor ffôl, mor ffôl.'
A'r chwyn lladradaidd yn dwyn gwely ar ôl gwely
fel nad oedd dim ond un gwely glân heb ei ddifa,
fy aelwyd, fy mhriod a'r tair croten fach –
yn Gymry Cymraeg ac yn falch fel tywysogesi.
Do, rwyn adde i mi drio fy mwrw fy hun
i ddannedd y corwynt i'm codi ar ei adenydd
a'm chwythu gyda'i hergwd lle mynnai
yn arwr i achub fy ngwlad.
Cans nid chwythu lle y mynno yn unig y mae'r dymestl,
ond chwythu a fynno o'i blaen lle y mynno;
'Pwy ar ei thymp ŵyr ei thw,' meddwn innau.

* * *

O cau di dy geg â'th hunan-dosturi celwyddog
a'th hunan-fost seimllyd o ffals.

(Ffig. 46 – gw. tudalen 64)
Rwyt ti'n gwybod mai chwarae penysgafn â gwiwerod
oedd llithro o golfen i golfen;
ac mai chwarae mwy rhyfygus oedd hofran yn y gwynt
fel barcut papur, a bod llinyn yn dy gydio di'n ddiogel wrth y llawr,
lle'r oedd torf yn crynhoi i ryfeddu at dy gampau
ar *drapeze* y panto a'th glownio'n y syrcas.
Nid marchogaeth y corwynt, ond hongian wrth fwng
un o geffylau bach y rowndabowt oedd dy wrhydri,
ceffyl-pren plentyn mewn meithrinfa,

a sŵn y gwynt i ti'n ddim ond clindarach miwsig recordiau
peiriant sgrechlyd y ffair wagedd.
Dioddefaist ti ddim cymaint â chrafiad ar dy groen
wrth ganlyn gwiwerod y ceginau – y cawl a'r coblera –
pan oedd dy gardodau di'n grawn yng nghlwy septig,
yn gornwydydd llidus, ar enaid trueiniaid y *Means Test.*
Y gorymdeithio banerog, yr huodledd a'r lecsiwna'n
ddim ond styntio dy awyrblan di wrth ddolennu dolennau
yn lle hedfan yn union i'th siwrne a'th hangar,
fel hedegwyr y pleidiau awdurdodedig.

(Ffig.47 – gw. tudalen 65)
'Petai e,' medden nhw, 'yn hedfan yn syth at y nod, fel ni,
gan adael ei gwafars, fe âi e'n lled bell,
fe ddôi swyddi ac anrhydedd a sedd yn y Senedd
a chyfle i weithio'n gall tros Gymru
o'r tu mewn i'r unig Barti sy'n cyfri.'
'Ac fel mae e,' meddai eraill, 'fe gaean ei geg e â swyddi maes o law,
a'i brynu e fel y lleill â rhubanau.'

Roeddit tithau wrth dy fodd yn pryfocio'r corwyntoedd
gan ddanglo'n gellweirus i ddifyrru'r rabl geg-agored.
Dy rofio â rhaw-dywod a bwced glan-y-môr
yn yr ardd, gan sinachad y confolfiwlws
– cancr Seinigrwydd sy'n cordeddu trwy Gymru –
doedd hynny'n ddim byd ond siawns i glustfeinio am y clawdd
ar y fforddolion didaro mor fwyn yn dy alw di'n wirion;
ond chlywaist ti mo'u geiriau nhw wedi iddyn nhw droi ymaith,

(Ffig.46 – gw. tudalen 64)
– mae'r Cymry'n rhy fonheddig i ddweud y gwir yn dy wyneb –
y ffŵl dwl, y lobyn, yr idiot, medden nhw,

'mwy na all e wneud fydd cadw un gwely yn lân
rhag y confolfiwlws – fe dry ei aelwyd e'n Saesneg yn ei thro
fel ein haelwydydd ni i gyd pan ddaw'r plant i oed ysgol.'
Ac felly y byddai hi, debyg iawn,
onibai ddyfod yr Ysgol Gymraeg i gynnal dy aelwyd yn dy le.
    Mae rhuad y dymestl yn y pellter yn fiwsig
i'th glustiau pan fo'i sŵn hi'n chwythu.
Ond pwy ar ei thymp ŵyr ei thw, meddit ti.
Wel, nid ti, er dy fost a'th bitïo celwyddog a ffals . . .
ond mae yna un peth arall i'w ateb.

* * *

Oes, fe ddichon,
ond dwyt tithau â'th dafod papur-swnd,
rhasb dy feirniadu a ffeil dy anymddiried,
ond yn rhychio a sgraffinio sglein y polish ar gelfi gwirionedd.
'Atolwg, pa beth yw gwirionedd?'
O wynt y gwirionedd, tyrd yn dy rwysg a'th rym
i chwythu â'th ysbryd lle y mynni
yw'r ateb i Beilat ac i tithau.
    Mor debyg i stori atodiad
Ioan Efengylydd am Bedr
yn mynd i bysgota liw nos,
wedi blino ar addewid y Deyrnas na ddôi,
a'r Brenin tan gabl y tu allan i'r ddinas.
Roedd pob troed tan ffenestr yr Oruwch-ystafell
yn dramp milwyr Rhufain, neu sŵn slei-bach
ysbïwyr yr Archoffeiriad, i'w gael yntau i'r ddalfa.
Er mor rhiniol y tair blynedd yn y cwmni rhyfeddol,
nes dyheu cael pabellu gyda'r Gweddnewid llachar;
eto mor anghyfrifol ym mlynyddoedd cyfrifoldeb, ac yn oedran gŵr
fai codi tŷ ar *chimera* awr iasber llencyndod.
Na, rwy'n mynd i bysgota, medd Pedr,
nôl at y cychod a'r rhwydi, a'r môr anwadal-drofaus;
yno y mae sicrwydd diogelwch.

Fel llestri cwpwrdd-glas, rhy ddrudfawr i'w mentro
ar ford y gegin bob dydd, yw'r cyffro adolesent, gan mor gain, mor gain.
A'r nos honno ni ddaliasant hwy ddim.
Dyna wyrth.
Bu trip, un ddunos, ar y môr heb y Cwmni'n y cwch
yn ddigon i'w dieithrio rhag ei nabod y bore ar y lan,
er gorfod troi adre yn waglaw fethiannus.
Beth tai'r rhwydi'n llawn a'r cwch tan ei sang gan eu pysgod!
Y nos honno
– er eu doniau cyfarwydd gyda chelfi eu crefft, ac arferion y môr –
ni ddaliasant hwy ddim, (O Wyrth!)
rhag llwyddo o Bedr i lithro yn slic
fel un o'i bysgod ef ei hun, o gledr y llaw a'i cynhaliai,
a throi i falchïo yng nghaniad y ceiliog.
      Wrth wledda ar wledd a baratoesid
a chyfannu'r Gymdeithas a'r cwmni,
Efe
a gymerth fara ac a roddes iddynt
yn sacrament,
a'r pysgod a ddaliasant yr un modd,
pysgod eu profiad yn troi'n rhan o'r sagrafen
gyda'r bara a roddes Efe.
      Yna'r holi.
A wyt ti'n fy ngharu i'n fwy na'r rhai hyn,
yn fwy na'th bysgod a'th rwydi,
yn fwy na haul-a-chawod cyfnewidiol mis Ebrill llencyndod?
Ai atynt hwy y mynnit ti droi yn awr dy sadrwydd, ac yn oedran gŵr,
at y diogelwch cyn y cyffro a'r ias,
cyn i sŵn y gwynt sy'n chwythu daro'n siarp ar dy glustiau?
Mae iti ddewis, Bedr, un dewis terfynol:
pan oeddit ti'n ieuanc fe'th wregysit dy hun
a rhodio y ffordd a fynesit;
ond pan elych di'n hen, arall a'th wregysa
ac a'th arwain y ffordd ni fynnit.
'Ond, ymhle a pha bryd y cyrhaedda i ben siwrne ar dy gefn-ffordd
      ddigysgod Di?'

'Ni pherthyn iti wybod na'r amseroedd na'r prydiau,
eithr canlyn di Fi.'
A hyn a ddywedodd efe gan arwyddo
â pha fath angau y gogoneddai efe Dduw,
gan orchymyn i'r gwynt sydd yn chwythu
ei chwythu o'i flaen lle y mynnai.
    Fe fuost tithau'n crefu a gweddïo
am brofiad fel un Pedr i'th godi ar flaen y gwynt,
iddo gael dy chwythu di eilchwil i'r fedyddfaen
fel y dilëid y dŵr bedydd ar dy dalcen
a'r enw Dyn a roid arnat,
ac y trochid di yno ym medydd yr Ysbryd,
a rhoi enw sant yn dy galon.
    A dyw waeth iti gyhoeddi hynny i'r bobol na pheidio!

* *

Y Duw hwyrfrydig i lid a faddeuo fy rhyfyg
yn pulpuda, yn canu emynau a gweddïo arno Ef,
a wisgodd amdano awel y dydd,
i ddyfod i oglais fy ais i'm dihuno o'm hepian.
Gofynnais am i'r gwynt a fu'n ymorol â'r sgerbydau
anadlu yn f'esgyrn sychion innau anadl y bywyd.
Eiriolais ar i'r dymestl nithio â'i chorwynt
garthion f'anialwch, a mwydo â'i glawogydd
grastir fy nhir-diffaith oni flodeua fel gardd.
Apeliais â thaerineb heb ystyried –
heb ystyried (O arswyd) y gallai E 'nghymryd i ar fy ngair
y gallai E 'nghymryd i ar fy ngair ac ateb fy ngweddi.
Ac ateb fy ngweddi.
    Wrandäwr gweddïau, bydd drugarog,
a throi clust fyddar rhag clywed f'ymbilio ffals,
rhag gorfod creu sant o'm priddyn anwadal.
    Y Diymod heb gysgod cyfnewidiad un amser
na letha fi ag unplygrwydd ymroad,
ond gad imi fela ar grefyddolder y diletant,

o flodyn i flodyn yn D'ardd fel y bo'r tywydd
    Y Meddyg Gwell,
sy'n naddu â'th sgalpel rhwng yr asgwrn a'r mêr,
atal Dy law rhag y driniaeth a'm naddai
yn rhydd oddi wrth fy nghymheiriaid a'm cymdogaeth,
yn gwbwl ar wahân i'm tylwyth a'm teulu.
    Bererin yr anialwch,
na osod fy nghamre ar lwybr disberod y merthyr
ac unigrwydd pererindod yr enaid.
    O Dad Trugareddau, bydd drugarog,
gad imi gwmni 'nghyfoedion, ac ymddiried fy nghydnabod,
a'r cadernid sydd imi yn fy mhriod a'r plant.
    Y Cynefin â dolur, na'm doluria
drwy'r noethni'r enaid meddal, a'i adael wedi'i flingo
o'r gragen amddiffynnol a fu'n setlo am hanner-can-mlynedd
yn haenen o ddiogi tros fenter yr ysbryd,
na châi tywodyn anghysuro ar fywyn fy ego.
    Rwy'n rhy hen a rhy fusgrell a rhy ddedwydd fy myd,
rhy esmwyth a rhy hunanddigonol,
i'm hysgwyd i'r anwybod yn nannedd dy gorwynt.
Gad imi lechu yng nghysgod fy mherthi, ar pletiau'n fy nghlawdd.
    Frenin brenhinoedd, a'r llengoedd angylion wrth Dy wŷs yn ehedeg,
a gwirfoddolion yn balchïo'n Dy lifrai – Dy goron ddrain a'th bum archoll –
paid â'm presio a'm consgriptio i'r lluoedd sydd gennyt
ar y Môr Gwydr ac yn y Tir Pell.
    Yr Iawn sydd yn prynu rhyddhad,
gad fi ym mharlwr y *cocktails* i'w hysgwyd a'u rhannu
gyda mân arferion fy ngwarineb
a'r moesau sy mewn ffasiwn gan fy mhobol.
Na fagl fi'n fy ngweddïau fel Amlyn yn ei lw,
na ladd fi wrth yr allor y cablwn wrth ei chyrn,
ond gad imi, atolwg, er pob archoll a fai erchyll,
gael colli bod yn sant.
    Quo vadis, quo vadis, I ble rwyt ti'n mynd?
Paid â'm herlid i Rufain, i groes, â mhen tua'r llawr.
    O Geidwad y colledig,

achub fi, achub fi, achub fi
rhag Dy fedydd sy'n golchi mor lân yr Hen Ddyn.
Cadw fi, cadw fi, cadw fi
rhag merthyrdod anorfod Dy etholedig Di.
Achub a chadw fi
rhag y gwynt sy'n chwythu fel y mynno.
Boed felly, Amen,
    ac Amen.

RHAGAIR

DRAMÂU O FEWN DRAMÂU

A mi, heb gyrraedd fy neunaw oed, ac yn ddisgybl chweched dosbarth yn Ysgol Ramadeg, Llandysul, ni chofiaf glywed darllediad cyntaf 'Sŵn y Gwynt sy'n Chwythu', James Kitchener Davies, ar Ionawr 23, 1952. Ddyddiau yn unig ar ôl marw 'Kitch', yn hanner cant oed, fis Awst y flwyddyn honno, y dechreuais ar gwrs gradd yn Aberystwyth, a chael y fraint o'm haddysgu gan neb llai na Gwenallt, awdur y rhagair i gyhoeddiad cyntaf y bryddest radio mewn llyfryn yn 1953. Esgorodd y rhagair hwnnw ar gerdd goffa Gwenallt i Kitch, 'Cwm Rhondda' a gyhoeddwyd yn ei gyfrol *Y Coed* yn 1969. Mae hi'n gerdd sy'n adleisio emosiynau dirdynnol 'Sŵn y Gwynt sy'n Chwythu'. Mae'n arwyddocaol iddi gael ei chynnwys ym mhair berw *Y Coed* ymhlith cerddi i arweinwyr cenedlaetholgar megis Glyndŵr, Gwynfor ac Emyr Llew, ynghyd â'r gerdd am sarhad trychineb Aber-fan. Yn ei gerdd Kitch roedd Gwenallt ar ei gilwg yn ôl ffyrnicaf yn erbyn y 'Drefen', ac yn wyneb imperialaeth Prydeindod, gan dristed marw annhymig Kitch a chreuloned agwedd Llafurwyr Cwm Rhondda tuag at ei Gymreictod arwrol, chwyldroadol.

Fis Ebrill, 1956, fe'm gwahoddwyd am glyweliad gan Mary Lewis, cynhyrchydd 'Cwmni Panel Drama Sir Aberteifi', yn ei chartref, Dolanog, yn Llandysul. Mary Lewis oedd un o brif arloeswyr gweithgaredd theatrig ynghyd â chelfyddyd llefaru yng Nghymru'r ugeinfed ganrif. Paratoasai 'Sŵn y Gwynt sy'n Chwythu' ar gyfer cyflwyniad llwyfan ynghyd â drama fydryddol Kitch, 'Meini Gwagedd' a'i ddrama un act, 'Y Tri Dyn Dierth', a oedd yn seiliedig ar stori fer gan Thomas Hardy. Bwriadai Mary gynnig i mi ran Kitch yn y bryddest, ar gyfer dau berfformiad yn Eisteddfod Genedlaethol Aberdâr ddechrau Awst, 1956 ac un yn Neuadd Maes yr Haf, Trealaw, ddiwedd Tachwedd y flwyddyn honno.

Un o ddisgyblion disgleiriaf Mary Lewis yng nghelfyddyd 'adrodd', fel y'i hadnabyddid yr adeg honno, oedd Myra Jones, Croeslan, Llandysul. Rai misoedd cyn y clyweliad, dechreuaswn gael fy hyfforddi gan Myra ar gyfer cystadlu yn Eisteddfod Genedlaethol Aberdâr yng nghystadleuaeth 'adrodd' i feibion o dan 25 oed. (Mynnai Gwenallt ran yn yr is-stori honno hefyd, gan mai'r darn gosod oedd ei gerdd enwog 'Rhydcymerau'.) Mae'n debyg mai Myra a awgrymodd fy enw i Mary.

Heb i neb wybod ar y pryd, roedd Dolanog, y prynhawn Sadwrn hwnnw, yn llwyfan i ddramâu o fewn dramâu. Gwahoddasai Mary gydnabod iddi i wrando arnaf – neb llai na Mair, gweddw Kitch. Ac roedd y tair croten fach, y 'tywysogesi' chwedl eu tad yn ei bryddest, Megan a Mari a Manon, yno gyda'u mam. Atgof Manon yw iddynt fynd, ar awgrym Mary, am dro i'r ardd. Dyma'r tro cyntaf imi gwrdd â Mair. Lawer tro, wedi hynny, y buom yn cyd-gofio eironïau dramatig y diwrnod rhyfedd o fyd hwnnw!

Ymhlith y Cardis enwog ar raglen y tair drama, Neli Davies (chwaer Cassie), Dai Williams, Alwyn Jones, Sadie Jenkins ac Aneurin Jenkins Jones, yr amlycaf oll oedd yr un a baentiodd y cefndir i 'Meini Gwagedd', sef neb llai na'r artist, John Elwyn. Beth, tybed, fu tynged y paentiad hwnnw? A ŵyr rhywun ei hanes? A ddadfeiliodd fel adfeilion Glangorsfach, 'Meini Gwagedd'? Neu'n dristach fyth, fel adfeilion presennol Y Llain, cartref plentyndod Kitch ar Gors Caron? Haedda'r fangre honno ei diogelu yng nghof Ceredigion a Chymru, fel y gofalodd cyfeillion y Rhondda gofiáu Kitch, drwy osod plac ar wal 'Aeron', Trealaw, ei gartref olaf.

Gan ymylu ar 'hunan-fost', chwedl Kitch yn ei bryddest, un o'r pethau a gofiaf gliriaf yn Aberdâr oedd yr hyn a ddigwyddodd gefn llwyfan y Theatr Fach wedi'r perfformiad, sef gorglywed sylw Jennie Eirian Davies wrth ei chyd-feirniad, Gwilym R. Tilsley, ar y gystadleuaeth adrodd 'Rhydcymerau', taw hi 'oedd yn iawn'. Roeddent hwy ill dau wedi dod heibio i ddiolch i'r cwmni am y noson. Roedd hi'n amlwg taw i Jennie Eirian y dylwn innau ddiolch am iddi ennill ei dadl â'i chyd-feirniad yn gynharach yn yr wythnos!

Wrth reswm, roedd dramâu o fewn dramâu dwysach fyth yn y perfformiad ym Maes yr Haf, Trealaw. Roedd mynwent y Llethr Ddu, mangre bedd Kitch, ynghyd ag aelwyd 'Aeron', a gardd y 'pla' confolfiwlws yn ddigon agos i fwrw eu cysgod yn drwm dros y gynulleidfa, yn enwedig ffrindiau agos ac anwyliaid Kitch. Cadeirydd y noson oedd Aneirin Talfan, comisiynydd y bryddest radio, ac un a geisiodd berswadio Kitch i beidio â'i chwpla, ar ôl iddo glywed gan Mair fod y cancr yn derfynol. Ond tra'n orweddiog yn yr ysbyty y mynnodd lefaru gweddill ei bryddest, a Mair yn amaniwensis heb ei hail o ffyddlon iddo.

Ymhlith noddwyr y noson roedd Emyr Humphries, Nan Davies, Norah Isaac, Eic Davies, H. W. J. Edwards, J. Gwyn Griffiths ac Olwen Jones, Pennaeth Ysgol Yr Ynys Wen, yr ysgol a lwyddodd Kitch a Mair ynghyd â charedigion y Gymraeg dewr eraill ei sefydlu yn wyneb gwrthwynebiad sarhaus y Blaid Lafur.

Atgof cliriaf Manon, a hithau yn ddim ond wyth oed, yw gofyn i'w mam, pam yr oedd hi yn ei dagrau. Ni wyddai Manon, y byddai, ymhen blynyddoedd o ddramâu o fewn dramâu, yn cwpla 'Dwy Ffenest', ei phryddest hithau i'w thad yn ei chyfrol *Stafell fy haul* (2018), â'r geiriau, 'Dyna'r drefen, a rhaid ei derbyn.' Heblaw am ddwyster ei galar, ai arwydd ei bod hi'n gwrthod derbyn 'y drefen' oedd dagrau Mair y noson honno? Byddai hynny'n gyson â'i dewrder hyderus hi a'i phriod Kitch yn wyneb y sarhad a gawsent pan fynnent 'gadw Cwm Rhondda i'r genedl, a'r genedl hithau yn ardd gan ffrwythlondeb'.

Jim Parc Nest

2021

CYFLWYNIAD

Mae'r prosiect hwn yn seiliedig ar un darn o waith gan James Kitchener Davies, sef y bryddest radio 'Sŵn y Gwynt sy'n Chwythu', a gafodd ei chomisiynu ar gyfer y Pryddestau Radio a'i darlledu yn 1952 a'r awdur yn wael yn yr ysbyty. Cafodd y gerdd gofiannol hon ei chydnabod ar unwaith yn destament personol hynod Cymro o Gristion, ac yn uchafbwynt ei waith.

Pam gweithio ar brosiect yn seiliedig ar 'Sŵn y Gwynt sy'n Chwythu'? Yn syml, am fod pwyllgor 'Cantref', Canolfan Treftadaeth y Bala wedi gofyn i mi lunio corff o waith yn seiliedig ar y gerdd. Cwestiwn tebyg a gefais gan un o ferched Kitchener, Manon Rhys, pan lythyrais â hi i egluro'r prosiect roeddwn ar fin ymgymryd ag o: Pam y Bala?

Un rheswm mae'n siŵr, yw fod y gerdd ryfeddol hon – 'Sŵn y Gwynt sy'n Chwythu' gan Kitchener Davies, wedi treiddio i isymwybod y Cymry llengar lle bynnag y bont. Arwydd o hyn yw'r ffaith y daw rhywun ar ei thraws mewn mewn nifer o gasgliadau a blodeugerddi. Er enghraifft:

- *Blodeugerdd Barddas o Gerddi Crefyddol*
- *Blodeugerdd o Farddoniaeth Gymraeg yr Ugeinfed Ganrif*
- *Mwy o Hoff Gerddi Cymru*
- Cyfeithiad Joseph P. Clancy – *Twentieth Century Welsh Poems*

Ar y darlleniad cyntaf, nid oeddwn yn orawyddus i ymateb i'r gerdd oherwydd ei natur bersonol. Fel y dywedodd ei ddiweddar weddw – Mair Kitchener Davies – 'Cerdd bersonol yw hi'. Ond daeth yr achubiaeth i mi yn y modd y mae Mair yn gorffen y frawddeg: 'Cerdd bersonol yw hi, am ddyn, unrhyw ddyn.'

Roeddwn am ystyried y gerdd, o ddefnyddio trosiad garddwriaethol, fel gwely blodau i hau syniadau ynddo a gadael iddynt dyfu yn greadigaethau newydd.

Y term a ddefnyddir am un math o gelfyddyd yn ymateb i gelfyddyd o fath arall yw – 'gwaith ecffrastig'.

Mae gwaith ecffrastig da â'r nodweddion canlynol: nid yw'n aralleirio y gwaith gwreiddiol ond yn ei roddi mewn cyd-destun gwahanol, yn taflu golau newydd arno, ac yn dyfod yn gelfyddyd ynddo ei hun.

Gan nad ydwyf wedi mabwysiadu arddull arbennig fy hun yn y gorffennol, gallaf uniaethu hefyd ag agwedd Kitchener Davies at greu gwaith creadigol. Roedd yn arbrofwr wrth natur. Fel y dywed M. Wynn Thomas yn *Detholiad o'i Waith*:

> '*Ac wrth gwrs nid yw'r un o'i weithiau llenyddol yn ymdebygu i'w gilydd, arbrawf unigol yw bob un ohonynt gan na fynnai eu hailadrodd.*'

Nid cyfres o eglurluniau llythrennol, nac astudiaeth ysgolheigaidd o fywyd a gwaith J. Kitchener Davies a geir yma ond ymateb gweledol i'r gerdd 'Sŵn y Gwynt sy'n Chwythu' trwy gyfrwng cyfres o doriadau leino. Mae unrhyw ymchwil a wnaed yn unllygeidiog iawn, a'r unig nod oedd canfod unrhyw beth fyddai'n symbyliad i ddelweddau gweledol. Deilliodd fy ymchwiliadau ar dri math o ddelwedd – rhai yn ymateb i linellau a rhannau penodol o'r gerdd, eraill yn cysylltu â themâu ehangach y gwaith, a rhai yn cynrychioli agweddau o fywyd Kitchener Davies.

Cyfeiriaf yn gyntaf at y themâu fu'n rhan o'm gweithiau celf yn y gorffennol a'r sylweddoliad fod y themâu hynny'n adleisio'r themâu a geir yn 'Sŵn y Gwynt sy'n Chwythu', cyn mynd ati wedyn i addasu rhai o ddelweddau'r gorffennol ar gyfer creu ymateb gweledol i'r gerdd. Wedi ystyried y delweddau eraill yn eu cyfanrwydd, gosodais hwy mewn categorïau a ddaeth maes o law yn benodau yng ngweddill y llyfr, yn ymdrin â byd y ddrama a natur ddramatig gwleidyddiaeth Kitchener, y gwynt a'r perthi fel delweddau symbolaidd canolog yn y gerdd a'r llwybr annisgwyl bron a ddewisodd ei throedio allan o gymdeithas gysgodol a gwladaidd ei blentyndod yn Nhregaron am fwrlwm diwydiannol Cwm Rhondda.

Y CEFNDIR

Ffig. 2 – Y Llain heddiw

Ganwyd James Kitchener Davies yn ardal Tregaron yn 1902 ac fe'i magwyd ar ddyddyn Y Llain ar gyrion Cors Caron. Yn ôl y sôn roedd gan ei dad fwshtash Kitchinaidd tebyg i'r Kitchener arall, a byddai yn galw ei fab mewn modd chwareus yn 'Kitchener'. Mabwysiadwyd y llysenw hwn arno yn yr ysgol fel y gallai ei ffrindiau ei wahaniaethu oddi wrth y fintai o Davieses eraill oedd yno. Yn ddiweddarach yn ei fywyd fe gymerodd yr enw Kitchener, ac mae'n siŵr ei fod yn gwerthfawrogi'r eironi fod cenedlaetholwr a heddychwr Cymreig yn rhannu yr un enw â'r Kitchener arall, yr imperialydd a'r rhyfelgarwr.

Yn 1926 aeth i Gwm Rhondda, lle treuliodd weddill ei oes yn athro Cymraeg yn ysgolion y cylch, ac fel y dywed M. Wynn Thomas yn y gyfres *Writers of Wales:* 'Roedd dysgu Cymraeg yn Rhondda y dirwasgiad fel perthyn i'r llu hunanladdiad *(suicide squad).*'

O gyfnod y Streic Fawr hyd y pumdegau bu'n weithgar ym mywyd cymdeithasol, addysgol a gwleidyddol y Cwm. Ymladdodd etholiadau lleol a seneddol yn enw'r Blaid Genedlaethol, a daeth yn siaradwr blaenllaw drosti.

Bu'n cynnal dosbarthiadau nos, yn darlledu, yn ysgrifennu i'r wasg Gymraeg a'r Saesneg, yn barddoni yn ogystal a chynhyrchu ac actio dramâu.

Ffig. 3 – Capel Llwynpiod

Bu farw'n gynamserol yn 1952 a chladdwyd ef ym mynwent y Llethr Ddu, Trealaw. Yn 1977 gosodwyd carreg goffa iddo ar fur Capel Llwynpiod yn ymyl ei hen gartref ger Tregaron, ac arni y geiriau: GWLADGARWR, BARDD, DRAMODYDD.

Mae cerdd er cof amdano gan ei gyfaill Gwenallt, 'Cwm Rhondda', yn cwmpasu llawer o agweddau ei fywyd. Mae'r gerdd ar un ystyr yn grynodeb o 'Sŵn y Gwynt sy'n Chwythu'. Dyma ddyfyniadau o ddarnau ohoni.

> *'Anialwch estron oedd Cwm Rhondda pan aeth efe yno*
> *Efe – y Cristion, y cenedlaetholwr, y dramodwr, y Cardi*
> *A'r heddychwr â'r enw milwrol ...*
> *... Efe a safai fel Caniwt yn ei goler a'i dei i geisio atal*
> *Y corwynt, y cenllysg a'r llifogydd; yr Atlas academig.*
> *A oedd yn dal Cymru ar ei sgwyddau yn y diffeithwch;*
> *A'i gydwladwyr yn ei alw yn ffŵl dwl, y lobyn, yr idiot ...*
> *... Y Sosialwyr yn ei gynghori i adael ei gwafers, ac i gymeryd swydd.*
> *Ac anrhydedd o'r tu mewn i'r unig Barti oedd yn cyfri ...'*

Ffig. 4 – Atlas – Yr atlas academig a oedd yn dal Cymru ar ei sgwyddau yn y diffeithwch.

THEMÂU'R GERDD

Mae cyd-destunau'r gerdd yn benodol i Kitchener Davies. Nid oes gennyf yn bersonol unrhyw brofiad uniongyrchol o gyd-destunau'r gerdd, sef tirlun ym mherfeddwlad Tregaron ac yn sicr ddim profiad o dirlun a chymdeithas Cwm Rhondda.

Ond deuthum yn raddol i sylweddoli y gallwn uniaethu'n llwyr â themâu'r gerdd, sef cenedlaetholdeb diwylliannol, dylanwad bro mebyd, byd y ddrama, crefydd anghydffurfiol ac yn annisgwyl efallai, garddio. Sylweddoli hefyd mai dyma brif themâu fy ngwaith personol yn y gorffennol, sef cenedlaetholdeb diwylliannol, yn seiliedig ar yr iaith Gymraeg a'i diwylliant. Felly Kitchener Davies, ni allai yntau wahanu ei wleidyddiaeth oddi wrth yr iaith Gymraeg a'i diwylliant

Cenedlaetholdeb Diwylliannol

Ffig. 5 – Llanuwchllyn yn y Bae

Un o brif themâu fy ngwaith yw'r diwylliant Cymreig yn ei holl agweddau, ac mae'r ffaith i mi gael fy magu mewn pentref Cymraeg ei iaith fel Llanuwchllyn wedi dylanwadu'n gryf arnaf. Mae'r ddelwedd hon (Ffig. 5 – Llanuwchllyn yn y Bae) allan o fy arddangosfa dan y teitl 'LLANUWCHLLYN'. Cafodd y ddelwedd ei seilio ar linell olaf englyn gan Alan Llwyd, a luniodd i gyfarch Llanuwchllyn pan enillodd y pentref gystadleuaeth 'Bwrlwm Bro' yn Eisteddfod Genedlaethol Bro Myrddin 1974. Y llinell yw: 'Wyt Rufain y pentrefi'. Mae natur glasurol y cerflun yn adleisio'r llinell.

Dyma'r ddelwedd fwyaf ymwybodol wleidyddol o'm heiddo. Mae gan bawb ei resymau dros gefnogi sefydlu'r Senedd yng Nghaerdydd, ond i mi y cyfiawnhad mwyaf dros ei bodolaeth yw'r ardaloedd naturiol Gymreig megis Llanuwchllyn a Thregaron. Fe wawriodd arnaf yn ddiweddarach y gallwn yn yr oes ddigidol hon fod wedi creu'r ddelwedd drwy gopïo a phastio'r cerflun ar y llun, ond wedi dweud hynny roedd y weithred ychydig yn herfeiddiol o osod y cerflun yn gorfforol o flaen y Cynulliad yn rhoddi rhyw arwyddocâd ychwanegol iddo – gweithred rwy'n credu y byddai Kitchener wedi ei gwerthfawrogi.

Dylanwad Bro Mebyd

Roedd fy mhrosiect 'LLANUWCHLLYN' yn uniongyrchol seiliedig ar fro fy mebyd. Mae tair delwedd Ffig. 6 yn rhan o gyfres arwyddion ffyrdd sy'n cynrychioli fy mherthynas â bro fy mebyd yng nghyd-destunau hiraeth, natur gyfnewidiol y fro ac alltudiaeth. Maent hefyd yn dangos bod ymateb i farddoniaeth wedi bod yn rhan o'm ngwaith erioed. 'Rhodio lle gynt y rhedwn' yw'r symbyliad i un ohonynt, sef llinell olaf englyn J. T. Jones i'r 'Llwybr Troed'. Llinell allan o gerdd Bobi Jones i Lanuwchllyn yw un arall: 'Os bydd un ar ôl a'm deall drwy eiriadur' ac i orffen, llinell allan o hen bennill: 'Mae'n werth troi'n alltud ambell dro'. Ei gyfnod ffurfiannol yn Nhregaron a'i fagwraeth yn Y Llain oedd yn dod i'r wyneb bob amser yng ngwaith Kitchener Davies hefyd.

Ffig. 6 – Bro fy Mebyd

Ffig. 7 – Tri yn Un

Yn fy mhrosiect 'Tri yn Un' cyfunais fy arddangosfa o gelf weledol â drama, wedi'i seilio ar ddelweddau'r arddangosfa. Gallaf uniaethu'n llwyr â'r modd yr oedd Kitchener yn rhyngblethu llên, barddoniaeth a drama. Bu'r broses o ysgrifennu drama 'Y Rhandir' yn un ddiddorol iawn. Mae'n debyg mai fy nelweddau gweledol oedd y man cychwyn, ac yna fy syniad o osodiad. Fe ellir dadlau fod pethau wedi digwydd o chwith i'r arferol. Fel roedd fy syniadau am y gosodiad yn datblygu daeth i ymdebygu fwyfwy i set ddrama, a dyna sut y plannwyd yr hedyn o gyfansoddi drama ar ei chyfer. Nid yn aml y ceir y set yn dod gyntaf a'r ddrama wedyn. Roedd gan Kitchener hefyd ddiddordeb ym myd y ddrama ac ymysg rhai o'i ddramâu mwyaf adnabyddus mae 'Meini Gwagedd' a 'Cwm y Glo'.

Crefydd Anghydffurfiol

Ffig. 8 – Cysgod y Capel

Dylanwadodd fy nghefndir personol, sef fy magwraeth anghydffurfiol Gymreig, ar fy mhrosiect 'Cysgod y Capel' – yn yr un modd ag y dylanwadodd bywyd crefyddol Capel Llwynpiod, Tregaron ar Kitchener Davies, a lle roedd dylanwad tân diwygiad 1904-5 yn dal i fudlosgi. Fe blannwyd hedyn y syniad ar gyfer yr arddangosfa yn ôl yn Eisteddfod Genedlaethol Eryri a'r Cyffiniau 2005, mewn sesiwn a gynhaliodd Iwan Bala yn Galeri, Caernarfon, lle cyfeiriodd at y Safle Celf fel festri. Gwnaeth hyn i mi adolygu fy ngwaith fy hun a dod i sylweddoli bod llawer o'm gwaith yn seiliedig ar fy nghefndir personol, cefndir y 'Pethe' ac anghydffurfiaeth Gymreig. Mae Cymreictod yn golygu rhywbeth gwahanol i bawb, ond deuthum i sylweddoli fel y datblygodd prosiect 'Sŵn y Gwynt sy'n Chwythu', bod fy niffiniad personol o Gymreictod yn debyg i'r hyn a olygai i Kitchener Davies: yr iaith Gymraeg, yr eisteddfod, barddoniaeth, gwleidyddiaeth heddychol a diwylliannol, gyda 'chysgod y capel' dros y cwbwl.

Ffig. 9 – Deryn du

Roedd delweddau prosiect 'Tri yn Un' yn seiliedig ar arddio, ond yn cyflwyno yn ogystal fyfyrdodau ar faterion megis ffawd, ffydd, traddodiad, amser a dylanwadau. Yn yr un modd fe welai Kitchener ymlediad y confolfiwlws fel metaffor o'r dylanwadau estron Seisnig, fel 'y cancr yn ymgordeddu trwy'r ymysgaroedd' yng Nghwm Rhondda.

Ei gyfeiriad at y confolfiwlws 'yn ymgordeddu trwy'r ymysgaroedd' roddodd fod i'r ddelwedd Ffig. 10 – Confolfiwlws. Sylweddoli wedyn fy mod wedi creu delwedd eitha prydferth allan o symboliaeth digon annymunol. Wedi dweud hynny, mae'n siŵr fod y dylanwad Seisnig i'w weld i rai yn rhywbeth prydferth a dymunol. Ymhelaethir ar y cysyniad yma gan Manon Rhys yn ei phryddest i'w thad, 'Dwy Ffenest'.

'Ond blodyn pert yw e, dim chwyn!'
A'i thad yn shiglo'i ben: 'Hen dwyllwr yw e
a thric yw'r clyche. Esgus bod yn bert, i ga'l
llonydd i gordeddu – ...

'Po ddyfnaf y ceibiwn, cyflymaf y dirwynai'r
confolfiwlws nadreddog drwy'r chwâl,
gan ddringo pob postyn a llwyn tan fy nwylo
a thagu'r rhosynnau a'r ffa yn eu blodau
a dyrchafu eu clychau gwyn glân fel llumanau,

neu fel merched y gwefusau petalog
sy'n dinoethi eu dannedd i wenu'n wyn
heb fod chwerthin yn agos i'w llygaid, ond bustl yn y pyllau. '

Ffig. 10 – Confolfiwlws

Mae M. Wynn Thomas yn *Writers of Wales* yn cyfeirio at y ffaith fod Kitchener Davies yn ymwybodol iawn o arwyddocâd symbolaidd yr ardd. Disgrifia fel roedd garddio yn weithred herfeiddiol greadigol: yn gorseddu gwerthoedd prydferthwch yn wyneb hylltra ffisegol, yn adennill natur i'r Rhondda gan greu cymhariaeth annisgwyl rhwng tirlun gwladaidd Tregaron a thirlun diwydiannol Trealaw – achub y winllan rhag y moch a chadw'r confolfiwlws nadreddog o anhrefn gwleidyddol hyd braich.

Ffig. 11 – Gweddi

Fel mynediad i'r prosiect penderfynais addasu rhai o'm delweddau o'r gorffennol ar gyfer y gerdd 'Sŵn y Gwynt sy'n Chwythu'.

Roedd hyn hefyd yn gyson â'm bwriad i beidio ag ymateb yn rhy benodol a llythrennol i'r gerdd.

Daw'r ddelwedd o berson yn gweddïo (Ffig. 11 – Gweddi) o'm harddangosfa 'Cysgod y Capel', a ddeilliodd o brofiad o weld hen flaenor yn gweddïo yn y dull traddodiadol trwy benlinio yn y sêt fawr. Roedd y meicroffonau uwch ei ben yn hollol ddibwrpas ac amherthnasol i'r weithred o weddïo, ac i danlinellu hynny gosodais y gweddïwr a'i gefn atynt.

Gwelais gysylltiad agos rhwng y ddelwedd hon â'r weddi ar ddiwedd 'Sŵn y Gwynt sy'n Chwythu', lle mae Kitchener yn diosg ei holl fywyd cyhoeddus a'i gefndir, ac mae'r toriad leino (Ffig. 12 – Gweddi) yn mynegi rhywbeth tebyg. Mae'r ffigwr yn troi ei gefn ar y meicroffonau sy'n cynrychioli bywyd o areithio ac ymgyrchu, ac yn diosg gwisg diwylliant.

Ffig. 12 – Gweddi

Ffig. 13 – Gwisg Diwylliant

Yn y ddrama 'Y Rhandir' a ysgrifennais fel rhan o arddangosfa 'Tri yn Un', mae'r ddau gymeriad yn gwisgo gwisg arbennig, ond yn ei diosg cyn diwedd y ddrama. Mae'r toriad leino (Ffig. 14 – Gwisg Diwylliant) yn addasiad o'r un syniad. Gwelaf y ddelwedd hon yn cynrychioli'r hyn sy'n digwydd ar ddiwedd y gerdd, lle mae Kitchener yn dinoethi ei hun ac yn diosg gwisg diwylliant. Mae'r argraffiad leino yn cyfleu amser: y wisg yn crogi ar gambren, y cymeriad wedi ei gwisgo, y wisg wedi ei diosg ac mae'r ffaith fod y bardd yn wael iawn yn yr ysbyty yn rhoddi rhyw arwyddocâd symbolaidd ysbrydol i'r cambrennau dillad sy'n esgyn. Symbylwyd y ddelwedd yn wreiddiol gan soned Gwenallt, 'Pechod'.

> *'Pan dynnwn oddi arnom bob*
> *rhyw ddysg.*
> *Mantell parchusrwydd a*
> *gwybodaeth ddoeth,*
> *Lliain diwylliant a sidanau dysg;*
> *Mor llwm yw'r enaid, yr aflendid*
> *noeth:'*

Ffig. 14 – Gwisg Diwylliant

Ffig. 15 – Mwyafrif / Lleiafrif

Ar un llaw, mae'n rhyfeddol fod soned Gwenallt a gweddi Kitchener Davies wedi deillio o'r un ddelwedd, ond ar y llaw arall nid yw'n rhyfeddod chwaith gan fod y ddau yn gyfeillion ac mae'n siŵr bod yna dipyn o groesbeillio syniadau wedi digwydd.

Mae'r ddelwedd hon o bobl barchus gyda *sandwich boards* (Ffig. 16 – Mwyafrif / Lleiafrif) yn ceisio cyfleu'r ffordd y gall syniadau lleiafrifol dros gyfnod o amser ddod yn syniadaeth sy'n dderbyniol i'r mwyafrif.

Ystyrir pobl sy'n cerdded o gwmpas gyda'r neges ar *sandwich board* ar gyrion cymdeithas. Mae'r cymeriad ym mlaen y llun wedi sylweddoli o'r diwedd nad yw'n un o'r mwyafrif bellach.

Mae syniadaeth leiafrifol, os oes unrhyw sylwedd iddo, ymhen amser yn dod yn syniad sy'n cael ei arddel gan y mwyafrif. Gwelais y ddelwedd hon yn cynrychioli syniadaeth a daliadau Kitchener Davies.

Brwydrodd yn galed i sefydlu ysgolion Cymraeg yng Nghwm Rhondda Fawr a'r Rhondda Fach. Ond nid oedd yn fodlon ar hyn, a bu'n dadlau yn frwd am greu addysg gyfrwng Cymraeg gyflawn ar draws y sectorau addysg.

Ddeng mlynedd wedi ei farw yn 1962, agorwyd Ysgol Uwchradd Rhydfelen, ac yn 1989 llwyfannodd yr ysgol ddrama gerdd 'Kitsh' fel teyrnged i un o'i sylfaenwyr.

Roedd yr hadau a blannwyd yn ôl yn y pedwardegau erbyn hynny wedi tyfu'n goeden fawr, a heddiw mae tua deuddeg ysgol uwchradd fawr yn nhalgylch gwreiddiol Ysgol Rhydfelen. Trodd syniadaeth leiafrifol yn syniadaeth sy'n cael ei dderbyn gan y mwyafrif.

Cefais brofi yr olyniaeth hon gan i mi ddechrau fy ngyrfa ddysgu yn Ysgol Rhydfelen yn y saithdegau cynnar, er mae'n rhaid i mi gyfaddef nad oeddwn yn ymwybodol o hynny ar y pryd.

Ffig. 16 – Mwyafrif | Lleiafrif

Dyma ddelwedd (Ffig. 17 – Hiraeth) sydd wedi ymddangos droeon yn fy ngwaith. Tarddodd y syniad allan o'r profiad o symud o berfeddwlad werdd Sir Feirionnydd i arfordir Conwy. Yma gwelir person mewn lle ac amser, ond gyda'i feddwl yn rhywle arall. Roedd y ddelwedd hon yn cynnig ei hun i greu toriad leino yn cyfleu bywyd ac amgylchiadau Kitchener Davies yn symud o gefn gwlad Ceredigion i un o gymoedd glofaol y de.

Ffig. 17 – Hiraeth

Wrth i gymdeithas fynd yn fwy symudol, mae'r garfan o bobl sy'n cyfeirio at ddylanwad bro eu mebyd mewn modd rhamantaidd wedi cynyddu'n sylweddol. Dywedodd Kitchener yn ei ysgrif 'Adfyw': '*Ond mae dial y wlad fel tynged. Er na chaf eto fyw'n naturiol ynddi, dim ond mynd am dro i'r man y bûm yn gware gynt.*'

Ffig. 18 – Hiraeth

Dyma ddelwedd o ffenest (Ffig. 19 – Ddoe / Heddiw) a greais rai blynyddoedd yn ôl bellach. Rwyf bob amser yn teimlo wrth fynd heibio hen adfeilion bod y waliau yn cynrychioli'r presennol a bod syllu drwy'r ffenestri yn rhoddi rhyw gipolwg ar y gorffennol. Cysylltais y ddelwedd hon yn syth â disgrifiad Kitchener o'i hen gartref, Y Llain, yn Nhregaron. 'Syrthiodd to'r Llain. Y mae da hesbon ar ei haelwydydd a phiswail yn ei pharlwr – ond hi a'i phobol a'i phethau sy'n mynnu adfyw yn ddychweledigion ynof heno.'

Ffig. 19 – Ddoe / Heddiw

Mae'r ddelwedd o ffenestr mewn mur adfail (Ffig. 20 – Dychweledigion) yn seiliedig ar y dyfyniad uchod o ysgrif 'Adfyw', ac yn pwysleisio hoffter Kitchener o gyfeirio at fro ei febyd mewn dull rhamantaidd.

Ffig, 20 – Dychweledigion

Ffig. 21 – Mynwent y Pandy

Seiliwyd y ddelwedd 'Mynwent y Pandy' ar gerdd gan Euros Bowen lle mae'n cyfeirio at y ffordd fetling sy'n mynd heibio giât y fynwent, ond bod neb yn aros i sylwi ar yr angel gwarcheidiol sydd arni. Penderfynais ddefnyddio yr un syniad i gyfleu un o ddyfyniadau Kitchener allan o'i ysgrif 'Adfyw':

'Deuthum wedyn yn ŵr tref, fy nhraed ar gerrig palmant yn lle sincio'n saff i siglennydd y gors.'

Hoffais y syniad bod lliw blodyn 'gold y gors' yr un â'r llinellau melyn ar ffyrdd trefol. Roedd yn fodd hefyd i gysylltu dwy ochr y llun yn weledol (Ffig. 22 – Y Palmant a Siglennydd y Gors).

Ffig. 22 – Y Palmant a Siglennydd y Gors

OLYNIAETH A DYLANWADAU

Un cysyniad sydd wedi amlygu ei hun yn ystod fy ymchwiliadau yw'r syniad o olyniaeth. Roedd Kitchener Davies yn ymwybodol ei fod yn rhan o olyniaeth personoliaethau a berthynai i gyfnodau eraill mewn hanes, megis yr heddychwr mawr Henry Richard, oedd ei hun o Dregaron.

Teimlaf fy mod yn rhan o'r un olyniaeth drwy ddylanwad fy nhad, Ifor Owen, a arddelai genedlaetholdeb tebyg i Kitchener Davies – cenedlaetholdeb oedd a heddychiaeth a gwrthdrefedigaetholdeb yn rhan greiddiol ohono. Yn wir rhannent yr un arwyr. Mae'n werth darllen panel addysgol gan fy nhad am Henry Richard yng nghomic *Hwyl*.

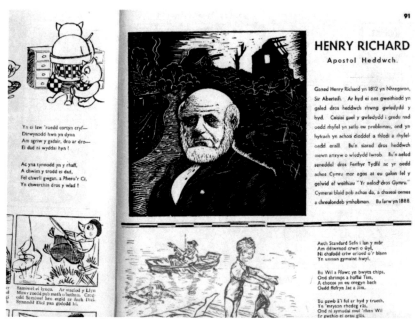

Ffig. 23 – Henry Richard

'*Ganwyd Henry Richard yn 1812 yn Nhregaron, Sir Aberteifi. Ar hyd ei oes gweithiodd yn galed dros heddwch rhwng gwledydd y byd. Ceisiai gael gwledydd i gredu nad oedd rhyfel yn setlo eu problemau, ond yn hytrach yn achosi dioddef a thlodi a rhyfeloedd eraill. Bu'n siarad dros heddwch mewn amryw o wledydd Iwrop. Bu'n aelod seneddol dros Ferthyr Tydfil ac roedd achos Cymru mor agos at ei galon fel y gelwid ef weithiau "Yr aelod dros Gymru". Cymerai blaid bob achos da, a chasâi ormes a chreuloneb ymhobman.'*

Byddai Kitchener Davies yn siŵr o ddweud 'Amen' i hyn.

Mae'n siŵr bod llwybrau fy nhad ac yntau wedi croesi, oherwydd roedd y ddau yn bresennol ym mhrotestiadau Trawsfynydd yn 1951, i geisio atal y fyddin rhag defnyddio'r tiroedd yno fel gwersyll milwrol.

Ffig. 34 – Protest Trawsfynydd 1951

Rwy'n hoff o ddisgrifiad Rhys Evans o'r brotest yn *Rhag Pob Brad – Cofiant Gwynfor Evans*:

'Yn eu plith roedd rhai o gedyrn cenedlaetholdeb Cymreig – rhai megis D. J. Williams, Waldo Williams, a Lewis Valentine; yn gymysg â rhain roedd llafnau tanbeidiach megis Glyn James, Kitchener Davies ac R. S. Thomas.'

Teyrnged fechan fy hun i'r olyniaeth hon yw fy newis o'r cyfrwng toriad leino gan ei fod yn adleisio gwaith du a gwyn fy nhad.

Ffig. 25 – Llyn Tegid – Ifor Owen

Mae'r casgliad o bortreadau (Ffig. 26 – Llinach) yn delio'n uniongyrchol â'r syniad o olyniaeth a llinach.

Ffig. 26 – Llinach

49

Ffig. 27 – Henry Richard

Mae portread o Kitchener yn ganolog i'r gosodiad, ac yn cynnwys portreadau o gymeriadau o'r gorffennol, rhai oedd yn cydoesi â rhai sydd yn ei olyniaeth.

Mae gennyf ddiddordeb wedi bod erioed yn y modd y mae cysyniadau sydd wedi eu hau gan un genhedlaeth yn tyfu ac yn dwyn ffrwyth yn y genhedlaeth nesaf.

Fel y dywed Gwenallt yn ei gerdd 'Cwm Rhondda', sydd yn gerdd goffa i'w gyfaill Kitchener: '*Yn ei freuddwyd yn unig y clywai sŵn y gwynt sy'n chwythu*'.

Mae'r olyniaeth yn dechrau gyda Henry Richard, yr Apostol Heddwch, lle ceir cerflun ohono ar sgwâr Tregaron. Bu'n Aelod Seneddol rhwng 1848 a 1884. Gweithiodd yn galed dros heddwch a chymodi rhyngwladol, a bu'n ysgrifennydd y Gymdeithas Heddwch am flynyddoedd lawer. Roedd Kitchener yn ymwybodol o waddol ei heddychiaeth.

Dylanwad arall arno oedd O. M. Edwards. Yn anad neb arall ar droad yr ugeinfed ganrif, ef oedd arweinydd y dadeni diwylliannol yng Nghymru.

Mae llun y stydi (Ffig. 29 – Y Stydi) yn barodi ar blât llyfr a ddefnyddiai O. M. Edwards ar flaen ei lyfrau. Mae'r plât gwreiddiol yn dynodi O. M. Edwards yn ei stydi

Ffig. 28 – O. M. Edwards

Ffig. 29 – Y Stydi

gydag arwyddion o'i ddiddordebau yn ei amgylchynnu, a'r Aran yn amlwg drwy'r ffenestr. Yn yr addasiad hwn mae Kitchener yn ei stydi gyda delweddau sy'n cynrychioli agweddau o'i fywyd a'i waith. Yn lle'r Aran yn y ffenestr mae'r ddwy ardal a chwaraeodd ran mor bwysig yn ei fywyd.

Diddorol yw cymharu dau ddyfyniad, un gan O.M. a'r llall gan Kitchener. Dywedodd O.M.:

> 'Hiraethaf am fy mam ac am Llanuwchllyn. Y capel a'r hen weinidog, tŷ to gwellt Coed y Pry – dyma'r dylanwadau arhosol ar fy enaid.'

Gan fynegi'r un teimlad, dywedodd Kitchener:

> 'Syrthiodd to'r Llain, y mae da hesbon ar ei haelwydydd a phiswail yn ei pharlwr – ond hi a'i phobol a'i phethau sy'n mynnu byw yn ddychweledigion ynof heno.'

51

Ffig. 30 – T. Gwynn Jones

Ffig. 31 – Gwenallt

Ffig. 32 – Cynog

Ffig. 33 – Elin

Bu T. Gwynn Jones hefyd yn ddylanwad mawr ar Kitchener drwy ei farddoniaeth a'i safbwyntiau ar heddychiaeth yn ystod ei gyfnod yng ngholeg Aberystwyth.

Diddorol eto cymharu cyfeiriadaeth y ddau at eu magwraeth yn agos i'r pridd. Canodd T. Gwynne Jones:

'Gwn weithiau, mynd a wnaeth y gwawl a'r gwir,
Y dydd y'm dysgwyd am addewid hir,
I werthu braint fy ngeni – codi ffos
Neu dorri gwrych a throi a thrin y tir.'

Profiadau tebyg iawn a gafodd Kitchener:

''Y nhad a fu'n plannu'r perthi pella o'r tŷ –
perthi'r Cae Top a'r Cae Brwyn, –
a minnau'n grwt bach wrth ei sodlau
yn estyn iddo'r planhigion at ei law:
tair draenen wen a ffawydden yn eu tro ...'

Datblygodd cyfeillgarwch rhwng Kitchener a Gwenallt yn y coleg yn Aberystwyth, a thra bu yno y tyfodd diddordeb Kitchener ym merw gwleidyddiaeth a heddychiaeth. Fe awgrymwyd eisoes fel y bu i syniadau'r ddau groesbeillio, ac mae cerdd goffa Gwenallt, 'Cwm Rhondda' yn arwydd o'r cyfeillgarwch a'r agosatrwydd oedd rhyngddynt.

Mae'n amlwg fod Kitchener yn ymwybodol o'r dylanwadau oedd arno a'i fod yn rhan o olyniaeth, ond erbyn heddiw mae ef ei hun wedi gadael gwaddol ac mae personoliaethau fel Cynog Dafis, Elin Jones a Ben Lake yn ei olyniaeth. Yr hyn sy'n gyffredin rhwng y tri yw eu bod wedi cynrychioli y Blaid Genedlaethol fel Aelodau Seneddol neu Aelodau o'r Cynulliad, dros Geredigion, sir oedd mor annwyl yng ngolwg Kitchener.

Mae gan Cynog Davies lawer yn gyffredin â Kitchener Davies. Dechreuodd ei yrfa fel athro cyn troi ei olygon at wleidyddiaeth. Bu'n Aelod Seneddol dros Geredigion a Gogledd Penfro o 1992-2000 ac yn 1999 cafodd ei ethol yn Aelod o Gynulliad Cenedlaethol Cymru. Cafodd y ddau fagwraeth debyg iawn, mewn awyrgylch anghydffurfiol Gymreig. Mae Cynog yn feddyliwr gwleidyddol a chrefyddol craff, a byddai

Kitchener yn siŵr o fod wedi gwerthfawrogi ei gyhoeddiadau: *Duw yw'r Broblem* a *Pantycelyn a'n Picil ni Heddiw*.

Yn 1999, cafodd Elin Jones ei hethol yn Aelod o'r Cynulliad dros Geredigion. Dros y blynyddoedd bu'n gyfrifol am nifer o bortffolios gan gynnwys gweinidog cysgodol Datblygiad Economaidd, gweinidog cysgodol dros yr Amgylchfyd, Cynllunio a Chefn Gwlad. Pan ffurfiwyd llywodraeth Cymru'n Un, daeth yn Weinidog Materion Gwledig. Heddiw hi yw Llywydd Senedd Cymru, sefydliad a fyddai ond yn freuddwyd gwrach i Kitchener wrth ymgyrchu yng Nghwm Rhondda yn y pedwar a'r pumdegau. Dyma yw gwaddol yr ymgyrchwyr cynnar fel Kitchener Davies.

Ffig. 34 – Ben

Gwleidydd arall sydd a'i wreiddiau'n ddwfn yng Ngheredigion yw Ben Lake. Yn wahanol iawn i Kitchener nid yw wedi profi methiant. Bu Kitchener yn aflwyddiannus dair gwaith fel ymgeisydd i Blaid Cymru yn etholiadau'r Rhondda yn 1945, 1950, ac 1951. Bu Ben Lake ar y llaw arall yn llwyddiannus ar ei ymgais gyntaf fel ymgeisydd dros Plaid Cymru yng Ngheredigion yn 2017 gan gynyddu ei fwyafrif yn sylweddol yn 2017. Ef ar hyn o bryd yw'r aelod seneddol ieuengaf yng Nghymru.

Y DDRAMA

Wrth reddf, dyn y theatr oedd Kitchener Davies, a hoffai yr ochr garnifalaidd o ymgyrchu a gwleidydda.

Symbylwyd y ddelwedd faneri (Ffig. 35 – Gorymdaith) gan orymdeithiau Annibyniaeth YES Cymru ac mae'n sicr y byddai Kitchener wrth ei fodd yn cymryd rhan ynddynt. Mae'r golomen heddwch yn cynrychioli y cenedlaetholdeb agored wedi ei seilio ar yr heddychiaeth yr oedd ef ei hun yn ei arddel.

Ffig. 35 – Gorymdaith

Ceir arwyddion cynnar iawn ohono yn dechrau cymryd diddordeb mewn drama. Yn 'Sŵn y Gwynt sy'n Chwythu' mae cyfeiriad ato yn fachgen bach yn angladd ei fam lle y dysgodd i actio'r part:

**'Neu a wyt ti'n cofio dod nôl yn nhrap Tre-wern
o angladd mam? Ti'n cael bod ar y sêt flaen gydag Ifan**

a phawb yn tosturio wrthyt, yn arwr bach, balch.
Nid pawb sy'n cael cyfle i golli'i fam yn chwech oed,
a chael dysgu actio mor gynnar.'
'Neu a wyt ti'n dy gofio di'n bymtheg oed
yng nghwrdd gweddi gwylnos Rhys Defi?
Roedd llifogydd dy ddagrau di'n boddi hiraeth pawb arall,
('ar dorri 'i galon fach,' medden' nhw, 'druan bach') –
a llais dy wylofain di fel cloch dynnu sylw;
dim ond am fod hunandod hiraeth pobl eraill
yn bygwth dy orchuddio di, a'th gadw di y tu allan i'r digwydd.
Roet ti'n actor wrth dy grefft, does dim dwywaith,
ac yn gwybod pob tric yn trâd erbyn hynny.'

(Ffig.36. – Hiraeth yn Boddi.) Ysbrydolwyd y ddelwedd swreal hon gan y sylw fod ei ddagrau yn boddi hiraeth pobl eraill. Mae'n ddiddorol ei fod yn nes ymlaen yn y gerdd yn sylweddoli bod actio cynnil yn fwy effeithiol.

'Onid amgenach crefft gweflau
    crynedig
a gewynnau tynion yr ên a'r foch,
llygaid Stoig, a gwar wedi
    crymu,'

Chwaraeodd y ddrama ran fawr yn ei fywyd ac ni all rhywun lai na meddwl fod byd y ddrama yn ddihangfa iddo o'r diffeithwch gwleidyddol a chymdeithasol a welai o'i gwmpas yn ystod cyfnod y dirwasgiad yng Nghwm Rhondda.

Ffig. 36 – Hiraeth yn Boddi

Ffig. 37 – Y Set

(Ffig. 37 – Y Set) Mae'r ddelwedd hon yn tarddu o'm profiadau o ddylunio setiau. Mae'r cyferbyniad rhwng y darnau marw o bren oedd yn y fan a gludai'r set, a'r bywyd oedd yn eu meddiannu pan oedd y goleuadau a phopeth yn ei le ar y llwyfan, bob amser yn fy nghyfareddu.

Mae cynllunio setiau yn rhoddi rhwydd hynt i rywun fod mewn rheolaeth lwyr o'r amgylchfyd.

Dyna pam mae'n siŵr yr hoffai Kitchener roddi cyfarwyddiadau set manwl i'w ddramâu fel y gallai fod mewn rheolaeth lwyr o'r amgylchfyd.

Ffig. 38 – Y Set Farw   *Ffig. 39 – Y Set yn Fyw*

Mae ei gyfarwyddiadau a'i ddisgrifiadau yn ddarnau o lenyddiaeth ynddynt eu hunain. Dwy o'i ddramâu mwyaf adnabyddus oedd 'Meini Gwagedd' a 'Cwm y Glo'. Lluniwyd Ffig. 40 – Meini Gwagedd a Ffig. 39 – Cwm y Glo yn gyfangwbwl allan o'i gyfarwyddiadau ar ddechrau'r ddrama. Mae i'r ddwy gyd-destunau gwahanol: 'Meini Gwagedd' ym mherfeddwlad Ceredigion a 'Cwm y Glo' yng nghymdeithas lofaol y de.

Ffig. 40 – Meini Gwagedd

Dyma gyfarwyddiadau set 'Meini Gwagedd':

'Cyfyd y llen ar adfeilion GLANGORS-FACH tan leuad-fedi ar nos Gŵyl Fihangel. Tua chanol y mur dadfeiliedig yn y cefn y mae gweddillion aelwyd y tyddyn trist. Y lloergan yw'r unig olau, ac wrth i'r lleuad garlamu trwy gymylau ysbeidiol, newidia'r lliwiau fel bo'r deialog yn gofyn. (Awgrymir GLAS i'r tri a MELYN i'r pedwar).'

Ffig.41. – Cwm y Glo

Dyma gyfarwyddiadau set 'Cwm y Glo':

'Pan gyfyd y llen y mae'r llwyfan mewn tywyllwch a llwch glo mân, ond bod un lamp glowr, sydd yn hongian wrth un fraich pâr o goed yn agos i ganol y llwyfan, yn creu cylch clir o olau, fel gnotai am ben y glowr hwnnw. Wrth i'r llygad gynefino â'r tywyllwch gallwn ninnau amgyffred yn well mai partin tanddaear sydd o'n blaen a bod pâr o reilffyrdd gloyw yn rhedeg ar draws y llwyfan.'

Gwelir yr un gallu ganddo i greu darluniau yn 'Sŵn y Gwynt sy'n Chwythu.'

> a thu hwnt i'r Cae Top roedd llannerch o goed duon –
> pinwydd a *larch* tal – i dorri'r gwynt oer,
> gwynt y gogledd.
> Ac yna y mân gaeau petryal
> fel bwrdd chware drafft s, neu gwilt-rhacs,
> ac am bob un o'r caeau, berth.

Ffig. 42 – Caeau Petryal

Ffrwyth fy nychymyg yw'r tirlun (Ffig. 42 – Caeau Petryal) wedi ei seilio ar ei ddisgrifiad yn y gerdd o dirwedd o gwmpas ei hen gartref cyn i mi ymweld â'r Llain. Hoffais fel roedd ei ddisgrifiad yn gyfuniad o'r llythrennol a'r haniaethol, a'r modd y byddai disgrifiad o'r fath yn trosi yn naturiol i ddelwedd weledol: y llannerch o goed duon a'r pinwydd a'r *larch* yn newid yn raddol i gaeau petryal fel bwrdd chwarae drafffts. Pan ymwelais â'r Llain yn ddiweddarach roedd y bwrdd drafffts a'r cwilt-rhacs wedi diflannu oherwydd amaethu dwys y dyddiau hyn.

Mae'n rhyfeddol mor hawdd yw trosi darnau o gerdd 'Sŵn y Gwynt sy'n Chwythu' i ddelweddau gweledol. Roedd gan Kitchener Davies y ddawn i greu delweddau patrymog, nid yn unig i ddod yn fyw yn nychymyg y darllenydd ond gyda'r testun ei hun ar y ddalen. Wrth ddarllen am dair draenen wen a'r ffawydden yn eu tro, a'r weirio patrymus, daeth delwedd o bapur wal i'r meddwl (Ffig. 43 – Y Weirio Patrymus).

tair draenen wen a ffawydden,
tair draenen wen a ffawydden yn eu tro;
a'i draed e'n mesur rhyngddyn nhw ar hyd pen y clawdd
a'u gwasgu nhw'n solet yn y chwâl bridd-a-chalch.
Yna'r weiro patrymus y tu maes iddyn' nhw –

Ffig. 43 – Y Weirio Patrymus

Ffig. 44 – Pa Ffordd?

Y rhyfeddod yw, i rywun oedd wedi arfer cael ei gysgodi gan y gwynt erlidus yn ei blentyndod, ei fod pan yn oedolyn wedi dewis llwybr a fyddai'n ei osod ei hun yn nannedd y gwynt – yn dysgu'r Gymraeg ac yn gwleidydda yng Nghwm Rhondda.

Mae'n siŵr y gall pawb ohonom feddwl am ddewisiadau neu benderfyniad a wnaethom a ddylanwadodd ar gwrs ein bywyd. (Ffig. 44 – Pa Ffordd?) Y dewis a wynebodd Kitchener oedd i aros yn glyd a diogel yng ngwyrddni bro ei febyd neu ddewis y llwybr coch, llawn peryglon. Fel y dywedodd: 'I osod fy hun yn nannedd y gwynt yng Nghwm Rhondda.'

Mae'r frân (Ffig. 45 – Brân) yn cynrychioli Kitchener ei hun yn brwydro yn erbyn y gwynt.

Ffig. 45 – Brân

Cyfeiriodd ato ei hun fel brân ar frigyn oedd yn arswyd i'r llygad ei ddilyn.

'Ond chwara teg nawr,
bydd di'n deg â thi dy hunan, a chyfadde
iti dreio dy orau i'th osod dy hun
yn nannedd y gwynt, fel y câi ef dy godi
a'th ysgwyd yn rhydd o ddiogelwch dy rigol ...
...
a dringaist, y gaeaf, y boncyff noethlymun
i'r man roedd hi'n arswyd i'r llygad dy ddilyn
wrth ysgwyd ar y meinder fel brân ar y brigyn.'

Ffig. 46 – Y Syrcas

Mae'r ddelwedd o'r syrcas (Ffig. 46 – Y Syrcas) yn dangos mentergarwch a hoffter rhyfygus Kitchener wrth iddo frwydro yn erbyn y drefn wleidyddol yn y Rhondda ar y pryd. Mae disgrifiad bywiog a lliwgar ohono'i hun yn clownio ac yn gwneud campau ar y *trapeze* yn cynnig ei hun i greu delwedd swreal a chymhleth llawn symudiad. Cyflwynais y geiriau – y ffŵl dwl, y lobyn, yr idiot, sef yr hyn a ddywedai pobl amdano tu ôl i'w gefn.

Ffig. 47 – Mud

Rwyt ti'n gwybod mai chwarae penysgafn â gwiwerod
oedd llithro o golfen i golfen;
ac mai chwarae mwy rhyfygus oedd hofran yn y gwynt
fel barcut papur, a bod llinyn yn dy gydio di'n ddiogel wrth y llawr,
lle'r oedd torf yn crynhoi i ryfeddu at dy gampau
ar *drapeze* y panto a'th glownio'n y syrcas.
Nid marchogaeth y corwynt, ond hongian wrth fwng
un o geffylau bach y rowndabowt oedd dy wrhydri,
ceffyl-pren plentyn mewn meithrinfa.'

... mae'r Cymry'n rhy fonheddig i ddweud y gwir yn dy wyneb –
y ffŵl dwl, y lobyn, yr idiot medden nhw.

Symbylwyd y portread ohono gyda'r masg (Ffig. 49 – Mud) ar y clebran tu ôl i'w gefn. Credai pobl pe tai ond yn cau ei geg a chydymffurfio y byddai'n derbyn swyddi ac anrhydeddau tu mewn i'r unig barti oedd yn cyfrif. Daw cerdd Gwenallt, 'Yr Hen Ŵr o Pencader' i'r meddwl. Ynddi mae'r brenin Harri II yn honni y gall ddileu ei genedl oddi ar fap y byd. Ateb yr hen ŵr oedd:

'*Eich Mawrhydri, ni all eich holl allu mawr chwi*
    Fyth orchfygu fy ngwlad
Oni bai am eich cynghreiriaid sydd tu mewn iddi hi,
    Anundeb a swyddgarwch a gwad.'

'Petai e,' medden nhw, 'yn hedfan yn syth at y nod, fel ni,
gan adael ei gwafars, fe âi e'n lled bell,
fe ddôi swyddi ac anrhydedd a sedd yn y Senedd
a chyfle i weithio'n gall tros Gymru
o'r tu mewn i'r unig Barti sy'n cyfri.'

Y GWYNT, Y COED A'R PERTHI

Ni ellir osgoi symboliaeth y gwynt yn y gerdd, yn arbennig yn y teitl ei hun 'Swn y Gwynt sy'n Chwythu'. Yn wir mae cyfeiriadau at y gwynt yn britho'r gerdd, y gwynt sy'n chwythu, yn nannedd y gwynt, marchogaeth y corwynt ac yn ei weddi apelgar ar ddiwedd y gerdd, mae'n ymbilio am gael ei achub a'i gadw rhag y gwynt sy'n chwythu fel y mynno.

Gorchwyl amhosibl wrth gwrs yw darlunio'r gwynt, ond mae'r llinellau troellog (Ffig. 48 – Sŵn y Gwynt sy'n Chwyth') yn ymgais i gynrychioli'r gwynt sy'n chwythu lle y mynno. Mae'r dail wedi eu cynnwys fel arwydd o bresenoldeb y gwynt ac yn ddyfais symbolaidd i gynrychioli byrhoedledd dyn.

Mae'r perthi a'r coed yn gyfystyr â chysgod a diogelwch ac yn cynrychioli y gymdeithas warchodol Gymreig gapelyddol, blynyddoedd plentyndod Kitchener yn y Llain yn Nhregaron.

Ffig. 48 – Sŵn y Gwynt sy'n Chwythu

Mae'r goeden (Ffig. 49 – Diogelwch y Berth) yn fetaffor o'r gymdeithas wâr honno, yn arbed y bachgen rhag y corwyntoedd croes ac erlidus.

'Na, ddaeth dim awelig i gwafrio dail dy ganghennau di,
chwaethach corwynt i gracio dy foncyff
neu i'th godi o'th bridd wrth dy wraidd.
Ddigwyddodd dim byd iti erioed
mwy nag iti glywed sŵn y gwynt sy'n chwythu
tu hwnt i ddiogelwch y berth sydd amdanat.'

Ffig. 49 – Diogelwch y Berth

I Kitchener, roedd y coed hefyd yn cynrychioli dilyniant a gwaddol cenedlaethau blaenorol. Cyfeiria at y ffaith mai ei dad ac yntau fu'n plannu'r perthi pella o'r tŷ – perthi'r Cae Top a'r Cae Brwyn. Ei dat-cu blannodd Caeau Canol, Cae Cwteri, Cae Polion a Chae Troi, ac roedd ôl gwaith dwylo cenedlaethau na wyddai ddim amdanynt ar y Cae Lloi a'r

Ffig. 50 – Rhai o goed y Llain heddiw

Cae Moch. Yn rhyfeddol, mae rhai o'r perthi a'r coed sy'n llwythog o bwysau emosiynol a symbolaidd yn y gerdd, yn dal i fod mewn bodolaeth (Ffig. 51 – Y Gwynt Erlidus)

Mae'r syniad o gael ei gysgodi gan y gwynt erlidus yn britho'r gerdd. Mae'r ddelwedd o'r frân a'r dryw (Ffig. 52 – Y Frân a'r Dryw) yn cynrychioli ei fagwraeth gysgodol a'i fywyd gwleidyddol yn y Rhondda yn nannedd y gwynt.

> 'A dyna lle byddem ni'r plant
> yn ddiogel mewn plet yn y clawdd tan y perthi
> a'r crinddail yn gwrlid i'n cadw ni'n gynnes,
> ...
> Doedd yr awel oedd yn tricial trwy fonion y perthi
> ddim yn ddigon i mhoelyd plu'r robin a'r dryw.'

Gall effaith gwynt fod yn gadarnhaol neu'n negyddol. Mae'n debyg mai'r negyddol sydd yn y gerdd – y gwyntoedd croes hynny y cafodd ei arbed

Ffig. 51 – Y Gwynt Erlidus

rhagddynt gan gymdeithas wledig gapelyddol Tregaron a'i fagwraeth yn y Llain.

Diddorol yw nodi mae cyfeirio at y gwynt fel grym cadarnhaol wna Gwenallt yn ei gerdd goffa i Kitchener, 'Cwm Rhondda'. Y gwynt y tro hwn yw'r gwynt gwleidyddol a fu'n chwythu drwy Cwm Rhondda yn ystod isetholiad 1967 wedi ei farwolaeth. Mae Gwenallt yn nodi mai gwaddol cadarnhaol a adawodd Kitchener Davies ar ei ôl oedd y GWYNT y tro hwn.

> Yn ei freuddwyd yn unig y clywai ef sŵn y GWYNT sy'n Chwythu,
> Y GWYNT a sgubodd yn ddiweddar drwy Gwm Rhondda; y
> GWYNT newydd.
> Y GWYNT annisgwyl; y gwynt sydyn syfrdanol; y chwyldro o
> WYNT traddodiadol;
> Y GWYNT siglodd San Steffan Sosialaidd hyd ei seiliau;
> Y GWYNT sy'n ireiddio llysiau a ffrwythydd y gerddi, ac yn enwedig
> Hen ardd lafurus y Brithweunydd; y GWYNT sy'n crychu'r perthi;
> Y GWYNT sy'n glanhau'r Cwm; y GWYNT sy'n oedi, weithiau,
> Ar y bedd ym mynwent y Llethr-ddu fel ei gofgolofn.'

Ffig. 52 – Y Frân a'r Dryw

Yn ystod y blynyddoedd diwethaf, bûm ar daith ryfeddol ac amrywiol yng nghwmni person arbennig iawn. Suddais i siglenni'r gors a cherdded ar balmentydd y dre. Bûm yng nghwmni'r dryw lle roedd yr awel oedd yn tricial trwy fonion y perthi ddim yn ddigon i foelyd ei blu, yn ogystal ag ysgwyd ar y meinder fel brân ar frigyn yn nannedd y gwynt. Teimlais y torcalon mewn angladd lle roedd pobl yn boddi mewn hiraeth, tra hefyd brofi'r wefr o chwarae'n ben-ysgafn â gwiwerod a gwneud campau ar drapeze mewn syrcas. Cerddais i mewn i fyd dychmygol y ddrama a realaeth y gorymdeithio banerog ac ymgyrchu brwd. Trafeiliais drwy amser o gyfnod di-hid plentyndod i ochr gwely angau, ac i glyw gweddi ingol. Y cerbyd a ddefnyddiais oedd y gerdd hynod 'Sŵn y Gwynt sy'n Chwythu' gan Kitchener Davies – y bardd, y dramodydd a'r cenedlaetholwr – ac fe ddeil gwynt ei waddol i chwythu lle y mynno.

LLYFRYDDIAETH

- *James Kitchener Davies – Detholiad o'i waith* (Golygyddion – Manon Rhys a M. Wynn Thomas), Gwasg Prifysgol Cymru 2002
- *Gwaith James Kitchener Davies* (Golygwyd gan Mair I. Davies), Gwasg Gomer 1980
- *James Kitchener Davies – Writers of Wales* – M. Wynn Thomas, Gwasg Prifysgol Cymru.
- *Cerddi Gwenallt, Y Casgliad Cyflawn* (Golygydd: Christine James), Gwasg Gomer 2001
- *Stafell fy Haul* – Manon Rhys, Cyhoeddiadau Barddas 2018